Poemas de amor

DARÍO JARAMILLO AGUDELO

Poemas de amor

*Ilustraciones
de Antonio Roda*

EL ÁNCORA EDITORES

Primera edición: Fundación Simón y Lola Guberek
                    Bogotá, 1986.
Octava reimpresión:El Áncora Editores
                    Bogotá, 1997
ISBN 958-9012-55-8

Portada: diseño de Felipe Valencia
Ilustración: dibujo de Antonio Roda
Diagramación interior: Mónica Hoher
© Derechos reservados: 1997. Dario Jaramillo Agudelo
                           El Áncora Editores
                           Apartado 035832
                           Bogotá, Colombia
                           E-mail: ancoraed@interred.net.co
Composición y artes: Grupo Editorial 87
Fotomecánica: Fotolito Villalobos
Impreso en los talleres de Formas e Impresos Panamericana
Impreso en Colombia
Printed in Colombia

CONTENIDO

PRÓLOGO

Poemas de amor, aparecido por primera vez en 1986, es la tercera obra poética de Darío Jaramillo Agudelo. La primera se llamó *Historias,* en 1974, y se publicó en parte traducida al inglés como *Poetic corner.* De 1978 fue *Tratado de retórica,* distinguido en Cúcuta con el "Premio Nacional de Poesía Eduardo Cote Lamus". Pero antes de recoger en forma individual sus poemas, los primeros que dio a conocer se lanzaron en volumen colectivo con un título, *Ohhh,* que bien podría referirse humorísticamente a la inicial palabra del himno patrio. Se reunieron allí, en 1970, aurorales composiciones juveniles. También, en ese mismo año, la *Antología de una generación sin nombre: últimos poetas colombianos,* editada en Madrid por Jaime Ferrán dentro de la "Colección Adonaís", mostró varias de sus precedentes creaciones.

Darío Jaramillo Agudelo nació al promediar el año 1947 en la población antioqueña de Santa Rosa de Osos. Nombrada por ser asimismo cuna de figuras intelectuales entre las que especialmente se mencionan otros dos poetas: Porfirio Barba-

Jacob (1883-1942) y Rogelio Echavarría (1926). "La poesía de Rogelio Echavarría forma parte de mi educación sentimental", declaró alguna vez. A los siete años fue a Medellín, donde vivió hasta 1965. Desde entonces, salvo temporadas en la Universidad de Iowa, Estados Unidos, y en la capital de Antioquia, ha permanecido en Bogotá. Luego de terminar sus estudios de abogado ha sido profesor universitario y, en los últimos años, director de importantes labores culturales. Sus amigos le distinguen como incansable devorador de novelas, poesía e historia. Se ha definido a sí mismo: "un lector vicioso, maniático, perfeccionista y prejuiciado". Persigue ávidamente libros antiguos y modernos. Su propia formación académica le orienta a esas lecturas. El conocimiento de autores de lenguas diversas le incita al mismo tiempo a la escritura. Y en ésta, principalmente, a la poesía. Es también autor de una misteriosa novela, *La muerte de Alec* (1983), de ineludible calidad poética. El poeta, y el novelista que no cesa de ser poeta, complementa su tarea con estrictos y novedosos juicios críticos. Seguramente le persuadió la condena baudeleriana para aquellos que, sin llegar a la crítica (que bien hecha es otra manera de expresión artística), se resignan a escribir meramente versos. El ejercicio simultáneo de poesía y crítica basta para definir el cimiento culto que, en Darío Jaramillo, sustenta su construcción poética.

Son varias las tendencias que en la década de 1970 se presentan en la poesía colombiana, cuando asoma a la escena literaria la que, a falta de más puntual denominación, apellidaron "generación sin nombre". Esas tendencias le venían en parte del espíritu crítico de los poetas agrupados en la revista *Mito*, en los años cincuentas, y también de la desacralización de valores culturales y sociales que, como característica quizá más definida, propició en el siguiente decenio, el del sesenta, la fugaz aventura del nadaísmo. A la "generación sin nombre" se le señalan notas determinantes como la ironía, el desencanto, el escepticismo, la nostalgia. Y se advierte su "cansancio" frente a lo que en política sería la burocracia unánime del Frente Nacional. Es así como ha podido hablarse de que los poemas de Darío Jaramillo eran adictos a manifestaciones de la llamada "antipoesía". Esta asumió la irreverencia o el sarcasmo contra lo que se proponía censurar. En Colombia se presentaron, de tiempo atrás, ejemplos valiosos de ella. Se cita, además de "Gotas amargas", la "Sinfonía color de fresa con leche" que escribió en 1894 José Asunción Silva desestimando el preciosismo de algunos poemas de Rubén Darío y de los "colibríes decadentes" imitadores de textos del nicaragüense que, dos años más tarde, se juntaron en su libro *Prosas profanas*. Igualmente se mencionan en esa postura los versos antirrománticos y antimodernistas (en lo que el Modernismo tuvo de exótico y decorativo) del cartagenero Luis Carlos López.

Dentro de la "generación sin nombre", que otros también imprecisamente designan "post-nadaísta", los antecedentes de Silva y de López respaldaban la simpatía de varios de sus integrantes por una nueva ola de antipoesía que irrumpió entonces en países hispanoamericanos y en España. Aun cuando es verdad que a ellos, descartando su aprecio por la obra de *Mito*, no les atraía particularmente mostrarse afines o impugnadores de cualquier pasado poético colombiano. Fue esa una característica suya que se ha tomado como otra señal de su desinterés por acontecimientos, como los políticos, más

13

visibles en la vida pública de una nación. Invocando un modelo ilustre recordaríamos que en Francia se habló a fines del siglo XIX, a propósito de similar actitud de poetas decadentes y simbolistas, de que orgullosamente defendían su "disciplina de la indiferencia". En cualquier caso, los poemas de Darío Jaramillo delimitaron su seguimiento de la antipoesía. Porque en ésta se dieron, dentro del propio ámbito hispánico, manifestaciones bien diferentes.

Los "antipoemas" del chileno Nicanor Parra, por ejemplo, se propusieron primordialmente plantear, desmitificando la poesía con la invasión del prosaísmo, la enajenación del ser humano frente a la injusticia social y al sinsentido de la historia contemporánea. Los de Darío Jaramillo, si realmente pueden tomarse por "antipoemas", concentran su crítica (en *Ohhh*, *Historias* o *Tratado de retórica*) en terreno exclusivamente literario: contra lo prejuzgado como poético y contra el carácter ritual que una larga tradición confiere al ejercicio del verso. No existe en ellos, como sí en los de Parra y en poetas de similar actitud, la impugnación del absurdo y de intereses y errores que envilecen al hombre en la sociedad contemporánea. Sino que se trata, ostensiblemente, de llegar a una distinta concepción de la poesía. Y, desde luego, de lograr el lenguaje apropiado para expresarla. A sabiendas, no obstante, de la insuficiencia de comunicación de las palabras, desgastadas tanto por el uso como por el abuso a que se las somete. No se trata, como sí en otros casos, de denunciar las múltiples formas con que se disfraza la infamia humana. Ni de una rebelión, como aquella que imaginaron sus coetáneos nadaístas, contra la "belleza" o lo "melodioso" del verso. Sino, por paradójico que parezca, de una búsqueda de la esencia, de la naturaleza propia de la poesía. Con la pretensión de que el habla poética, desnuda de verbosidad, recupere su extraviada inocencia. Su dicción primera pero, por lo mismo, rica de significaciones. Que vuelva a ser ella "forma callada" o aquel silencio que, según dice Darío Jaramillo, es "la música del tiempo".

Acaso Darío Jaramillo no ha dejado de reconocer en la poesía una "batalla de palabras cansadas". Y sabe por tanto que a ella se la debe refrescar haciéndola decir rectamente, con economía de vocablos, sin rodeos, la intuición original que la sustenta. Indicio evidente de tal empeño es la manera como la última línea de cada poema se presenta muchas veces como su resumen o justificación. Algo de ello debió aprenderlo de una lectura predilecta suya: la de Jorge Luis Borges. Que se refleja, no en temas ni particulares modos de locución, sino en el aire resueltamente meditativo, ensimismado, que circunda su creación poética. A la cascada de imágenes de Huidobro, sugeridora de la existencia "real" de mundos fantásticos, o a la voz sonámbula de Neruda, poderosa de sustancia física invasora, se prefieren ahora lecciones que, como la del autor de *El otro, el mismo*, nos llevan, con no menor fascinación, por arduos laberintos de la inteligencia. Y dan, a la vez, pautas de mesura, de afinación, de sabiduría verbal.

De ahí ese vasto espacio que Darío Jaramillo concede a las referencias culturales para que en muchas ocasiones entren como escenario natural de su poesía. Aparecieron desde las primeras muestras de ella. Porque acuden en su verso, sin oponerse, dos intenciones: la de una poesía de lo sensible y la de otra, más que de lo intelectual, de lo psíquico. En esa "Colección de máscaras", que constituye la cuarta y última sección de *Poemas de amor*, traza la verosímil confesión que harían personajes como Job, Heráclito o Platón, el poeta que nació Miguel Angel Osorio y los narradores Felisberto Hernández, Francis Scott Fitzgerald y Jerome David Salinger. Su voz es al mismo tiempo la de ellos y su propia voz: a cada momento somos los otros y somos los mismos. La otredad y el doble le son asuntos predilectos: "Hay alguien dentro de mí perdido". Una sensación de sueño que sueñan seres distintos y ajenos al que sueña y escribe como ellos. Sus estremecidos monólogos (el "tiempo oscuro" de Felisberto puede también tomarse así) no sólo sirven como recreación de complejas personalidades sino para ahondar el poeta en sus emociones personales y en su intimidad. Y para descubrir y revelar, haciendo hablar y hablando cual lo harían aquéllos, aspectos inéditos de su propia alma. El poema: sitio de hallazgo de sí mismo. Se ofrece una relación nueva entre vida y creación literaria. Según pensaba Blake, la verdad no procede de la razón sino de la percepción poética.

Poemas de amor comprende cuatro grupos de composiciones de los cuales el primero lleva el mismo título del volumen. Precisamente porque alguna vez Darío Jaramillo conjeturó que "nada hay más efímero que el lenguaje de los sentimientos", debió esforzarse en poner en esta lírica amorosa, a la cual acechan siempre tantos riesgos, el mayor cuidado sobre la precisión y la necesidad de cada una de sus palabras. Recordando igualmente que Baudelaire escribió: "La sensibilidad del corazón no es absolutamente favorable al trabajo poético. Una extrema sensibilidad suya puede llegar a anularlo". Pero en estos bellos renglones de Darío Jaramillo aparecen salvados tales peligros. Con la lucidez que sólo es premio de una ardorosa conciencia creadora. No hay en ellos ocasión de embriaguez del corazón ni de los sentimientos. Sino, atendiendo a justa simetría, pasión del lenguaje logrado mediante el equilibrio entre lo que en éste existe de sensible y de intelectual. Entre el hervor de la sensibilidad y la vigilancia de la mente que controla el fuego verbal. Pasión del lenguaje: exaltación y rigor de la inteligencia poética.

Entre los poetas de la tradición clásica con el que más semejan tener afinidad los *Poemas de amor*, en esa primera serie del libro, es acaso, por su llameante lirismo, el latino Cayo Valerio Catulo. Quien supo decir del amor, como pocos, sus inmensas felicidades o desesperaciones. Y, en corta pero frenética vida, se entregó con vehemencia a su escozor reflexivo: "Odio y amo. ¿Por qué así?, quizá me preguntes. / No lo sé. Pero siento que así es. Y en ello me torturo". El arsenal temático de su erotismo, de sus amores y de sus odios, ha seguido hasta nuestros días nutriendo la poesía occidental. Su actitud, en algunos deslumbrantes momentos, es precursora de algo que caracteriza a poemas amorosos como los de Darío Jaramillo. En cuyo desarrollo, si es inocultable su raíz sentimental, es evidente asimismo el avance hacia una emoción en la que asoma la complejidad de la vida psíquica.

Otra de las cualidades que mejor se aprecian en los poemas de Darío Jaramillo es el extrañamiento que ellos impusieron al lenguaje preconcebidamente poético. Sus voces son en cambio, casi siempre, las que oímos en labios de seres cotidianos. O, mejor, aquellas del que habla a solas para sí mismo. Con lo que ha superado la falta de vivacidad y de significación que conlleva el uso convencional de la lengua poética envejecida. Su idioma es de hoy y refleja, sin alardes ni esnobismos, una posición ante asuntos que son también de nuestra época. Por eso llega pleno de eficacia y de expresión. Es de los poetas que prefieren escribir con sus propias palabras, las de su alrededor, y no con las de los que anteriormente escribieron. Es de los que prefieren emplearlas como súbitas iluminadoras de realidades.

Figura también entre sus características salientes la de la utilización de un ritmo interno que elude acogerse a cada verso como unidad independiente y en cambio, con más amplia respiración, abarca la totalidad de la frase. Con ello, además de evitarse la monotonía y trivialidad del sonido, se persigue una magnitud que favorece el desarrollo de la intuición poética en armonía con la velada pero necesaria cadencia apenas insinuada. El ritmo lo utiliza a veces, como se proponen algunos poetas, para destruir el asiduo tono racional del lenguaje, su estructura ordinariamente lógica. Buscando, asimismo, su proyección imaginativa. La danza de sílabas que quisiera ser siempre el verso se amortigua en dilatadas ondas de entonación, ascendentes y descendentes. Las cuales se conciertan en imprescindible ritmo verbal. Y en éste parece involucrarse, profundizándose, el ritmo psicológico. Pero la música de *Poemas de amor* es más silenciosa que resonante. El dinamismo de cualquier idioma avanza a medida que se juntan y atraen en sonidos las palabras. Es decir, a través del ritmo, tanto en la prosa como en el verso. Mas ocurre que en el lenguaje de la poesía, se escriba ella en verso o en prosa, aquél se intensifica a medida que va imponiéndose la emoción. El hacedor puede ser consciente o no de que así sucede. Sin embargo, cederá las más de las veces al impulso de las palabras. Por lo que no deja de repetirse que, en sus mejores momentos, la poesía es arte mágica. De ello da testimonio gran parte de estos *Poemas de amor*.

T. S. Eliot discurrió persuasivamente acerca de la música de la poesía. Pensó que ésta, rítmica o silábica, rimada o no, formal o libre, debe ser música latente en el lenguaje de la conversación del lugar y tiempo en que vive el poeta. Quien, según señaló, tiene la obligación de usarlo. Es de otra parte cierto (como ya lo había adivinado Edgar Poe) que el poema se concreta, antes de ser elegidas sus palabras, en un ritmo determinado: al cual lo impone con frecuencia la música escondida en la conversación. Eliot hacía notar que mientras el lenguaje hablado continúa permanentemente cambiando, en su vocabulario, sintaxis, prosodia y entonación, el lenguaje poético simplemente va pasando de moda. De donde dedujo que toda modificación importante en poesía implica un regreso al habla cotidiana. Formulando, sin embargo, una aclaración: "Ninguna poesía, por supuesto, jamás es exactamente igual al lenguaje que el poeta habla y escucha: pero tiene que estar en tal relación con el lenguaje de su época que el lector o el oyente pueda decir: 'Así es como yo hablaría si pudiera hablar en poesía'. Y he aquí la razón de por qué los mejores contemporáneos pueden darnos una sensación de entusiasmo y una especie de plenitud diferentes a cualquier sentimiento que una poesía del pasado, aun de mayores vuelos, llegue a despertar en nosotros". Sin ser igual al habla cotidiana, pues, el poema tomará su material, sus sonidos, sus ondulaciones, su música, conquistando la armonía verbal que siempre pretende. Armonía que no implicará la inflexión "melodiosa" ni el empleo de "palabras bellas". Ya que deberá lograrse sin perder su contacto con el lenguaje hablado. Así razonaba el autor de "Miércoles de ceniza" antes de precisar: "Ningún verso es libre para el hombre que quiera escribir un buen texto en poesía. (...) una gran cantidad de prosa mala ha sido presentada bajo el nombre de verso libre. (...) Sólo un mal poeta puede considerar el verso libre como una liberación de la forma. Si el verso libre era una rebelión (la de los simbolistas) en contra de la forma muerta, fue no obstante la preparación para una forma nueva o para la renovación de la antigua".

Poemas de amor es convincente ejemplo de que, sabiendo estar cerca de la música del habla cotidiana, la poesía puede ganar notable intensidad de expresión. Poesía: voz solitaria acrecentada de secreta virtud. Puede ella enriquecer su ritmo, como no podrían alcanzarlo los ritmos de la prosa, para cumplir, con palabra natural, honda y directa, libre de fines prácticos, razonamientos, conceptos o rodeos, su propósito ineludible, que no conseguiría ser otro, de impresionar o enardecer la mente del lector. Si la prosa, según se ha creído, es la elocución clara, útil y razonante, la poesía no querrá existir sino como lenguaje extraordinario. Siendo su fuerza oculta una aproximación a la lengua contemporánea del poeta. Sólo con ésta consigue ser verdaderamente expresiva y comunicativa. Sólo llega a ser esa naturaleza u objeto viviente que es un poema. No sigamos adelante. El temor a caer en vagas generalizaciones o simples conjeturas nos impone limitarnos ahora a manifestar nuestra admiración por la poesía que, lejos de ser letra muerta, nos llega con la música de las frases que a diario se escuchan al lado. Como la de estos, por lúcidos y apasionados, punzantes poemas de Darío Jaramillo.

La lectura de *Poemas de amor,* además, nos confirma la certeza de la definición que en 1884 dio Stéphane Mallarmé, a quien muchos tienen como a uno de los padres de la lírica moderna: "La poesía es la expresión, por medio del lenjuaje humano traído a su ritmo esencial, del sentido misterioso de los aspectos de la existencia. Y así, ella dota de autenticidad nuestra morada, y constituye la única tarea espiritual".

Fernando Charry Lara

POEMAS DE AMOR

1

Ese otro que también me habita,
acaso propietario, invasor quizás o exiliado en este cuerpo
ajeno o de ambos,
ese otro a quien temo e ignoro, felino o ángel,
ese otro que está solo siempre que estoy solo, ave o demonio,
esa sombra de piedra que ha crecido en mí adentro y en mí
afuera,
eco o palabra, esa voz que responde cuando me preguntan
algo,
el dueño de mi embrollo, el pesimista y el melancólico y el
inmotivadamente alegre,
ese otro,
también te ama.

2

Podría perfectamente suprimirte de mi vida,
no contestar tus llamadas, no abrirte la puerta de la casa,
no pensarte, no desearte,
no buscarte en ningún lugar común y no volver a verte,
circular por calles por donde sé que no pasas,
eliminar de mi memoria cada instante que hemos compartido,
cada recuerdo de tu recuerdo,
olvidar tu cara hasta ser capaz de no reconocerte,
responder con evasivas cuando me pregunten por ti
y hacer como si no hubieras existido nunca.
Pero te amo.

27

3

Yo huelo a ti.
Me persigue tu olor, me persigue y me posee.
No es este olor un perfume sobrepuesto sobre ti,
no es el aroma que llevas como una prenda más:
es tu olor más esencial, tu halo único.
Y cuando, ausente, mi vacío te convoca,
una ráfaga de ese aliento me llega del lugar más tierno de la
    noche.
Yo huelo a ti
y tu olor me impregna después de estar juntos en el lecho,
y ese fino aroma me alimenta,
y ese aliento esencial me sustituye.
Yo huelo a ti.

4

Algún día te escribiré un poema que no mencione el aire ni la noche;
un poema que omita los nombres de las flores, que no tenga jazmines o magnolias.
Algún día te escribiré un poema sin pájaros ni fuentes, un poema que eluda el mar
y que no mire a las estrellas.
Algún día te escribiré un poema que se limite a pasar los dedos por tu piel
y que convierta en palabras tu mirada.
Sin comparaciones, sin metáforas, algún día escribiré un poema que huela a ti,
un poema con el ritmo de tus pulsaciones, con la intensidad estrujada de tu abrazo.
Algún día te escribiré un poema, el canto de mi dicha.

5

Atolondrado y confuso,
demasiado lleno de ruidos,
sin centro ni reposo,
desconectado del otro lado de la piel,
aturdido por el interminable crujido de este corazón
—tierra cuarteada, ceniza gris en el pecho—,
así pasan estas noches de calor y duermevela,
estas noches en que no estoy contigo.

6

Tu voz por el teléfono tan cerca y nosotros tan distantes,
tu voz, amor, al otro lado de la línea y yo aquí solo, sin
ti, al otro lado de la luna,
tu voz por el teléfono tan cerca, apaciguándome, y tan lejos
tú de mí, tan lejos,
tu voz que repasa las tareas conjuntas
o que menciona un número mágico,
que por encima de la alharaca del mundo me habla para decir
en lenguaje cifrado que me amas.
Tu voz aquí, a lo lejos, que le da sentido a todo,
tu voz, que es la música de mi alma,
tu voz, sonido del agua, conjuro, encantamiento.

7

Alabanza de mi noche blanca,
supresión de los abismos de mi corazón,
aniquiladora de mis momentos atroces.
Benditas tu caricia y tu palabra, Señora de la Apacible Ronda,
muchacha mía que detesta llorar por la mañana,
muchacha que habla a solas por la casa y ríe.
Ola frágil, bajo mi cuerpo ardiente tu cuerpo mío se calcina
    en un delirio de luz
y entonces somos una sola sustancia.
Flor de mis jadeos y mis éxtasis, tú, la callada, con tu mano
    en mi pecho diciéndome la claridad calladamente,
permitiéndole al tiempo transcurrir sobre nosotros sin rozar-
    nos,
nosotros, juntos, los eternos.

8

Tu lengua, tu sabia lengua que inventa mi piel,
tu lengua de fuego que me incendia,
tu lengua que crea el instante de demencia, el delirio
del cuerpo enamorado,
tu lengua, látigo sagrado, brasa dulce,
invocación de los incendios que me saca de mí, que me trans-
forma,
tu lengua de carne sin pudores,
tu lengua de entrega que me demanda todo, tu muy mía
lengua,
tu bella lengua que electriza mis labios, que vuelve tuyo mi
cuerpo por ti purificado,
tu lengua que me explora y me descubre,
tu hermosa lengua que también sabe decir que me ama.

9

No soy feliz y, sin embargo, bastas.

René Char

Eufórico y desconcertado, peligrosamente alegre para estos grises tiempos,
dejo mi palabra sobre el sonido de la luz, sobre el
agua rumorosa del amor y de la carne:
aquí queda, en esta noche ya sin ruidos, el sudor único de dos
pieles que son un solo cuerpo;
duermes al lado y yo te miro para asegurarme de que existes
y veo el azafrán de la luna desleído en tu pelo.
Solamente oigo tu respiración pausada, ese aire que me justifica y me exalta;
eres el misterio exacto que me da claridad, el signo diáfano,
la magia que me nutre,

en tu sosegado reposo le das sentido al mundo:
tus labios de rojo vino alborozado se entreabren para recibir
    el ángel quieto del sueño
y yo me embriago con tu sueño mientras tus ojos recogen una
    cosecha de soles y de pájaros;
de ti me alimento, de la tenue sombra de tu cuerpo que
    ahora me besa
y que expulsa de mi corazón todo el asco acumulado y lo
    apacigua y lo llena de música;
esto es la vida: saber que existes y que te amo.

10

Que nadie toque este amor.
Que todos ignoren el sigilo de nuestro cielo nocturno
y el secreto sea el aire dichoso de nuestros plácidos suspiros.
Que ningún extraño contamine el sueño tuyo y mío:
cualquier visitante es un invasor en el tibio ámbito donde ha-
     bitamos;
aquí el tiempo es agua fresca en movimiento, apenas sutil
     vuelo,
y todas las gentes viven muy lejos de nuestro jardín alucinado,
ajenas a nuestro paraíso secreto.

11

Poemas de circunstancia para decir el amor
y también poemas trascendentales para decir el amor:
vano intento de la letra hacer la crónica del instinto certero,
vano intento decir el amor.
Este feliz disparate nunca será alcanzado por la ebriedad de
la palabra
o el desquiciado barrunto de poeta.
Acaso el silencio sea la única cordura del amor
y decirlo su locura más tonta.

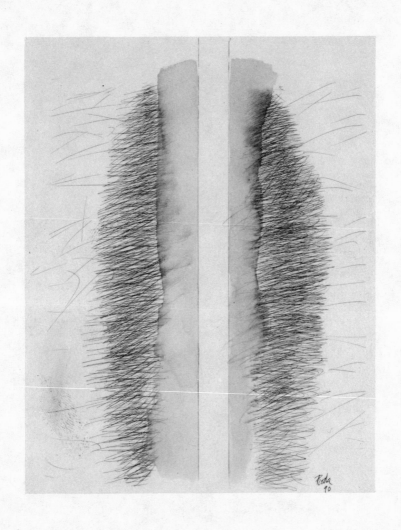

12

Todo tuyo siempre todavía.
Tuyo todo por siempre hasta hoy y luego,
tuyo siempre porque para ser lo necesito,
siempre todo tuyo,
siempre aunque siempre nunca sea,
todo íntegro tuyo siempre y hasta ahora más el próximo nuevo
    instante cada vez.
Con todo el tiempo del mundo a nuestro alcance,
todo el tiempo del mundo que es igual a la próxima noche,
todo tuyo siempre todavía.
Seguro de sobrevivir mañana tuyo,
siempre tuyo desde hoy en cada mañana de mañana.
Enamorado de ti, siempre y ahora, sin recuerdos,
en presente siempre amándote,
eternamente tuyo,
todo tuyo siempre todavía.

13

Primero está la soledad.
En las entrañas y en el centro del alma:
ésta es la esencia, el dato básico, la única certeza;
que solamente tu respiración te acompaña,
que siempre bailarás con tu sombra,
que esa tiniebla eres tú.
Tu corazón, ese fruto perplejo, no tiene que agriarse con tu
    sino solitario;
déjalo esperar sin esperanza
que el amor es un regalo que algún día llega por sí solo.
Pero primero está la soledad,
y tú estás solo,
tú estás solo con tu pecado original —contigo mismo—.
Acaso una noche, a las nueve,
aparece el amor y todo estalla y algo se ilumina dentro de ti,
y te vuelves otro, menos amargo, más dichoso;
pero no olvides, especialmente entonces,

cuando llegue el amor y te calcine,
que primero y siempre está tu soledad
y luego nada
y después, si ha de llegar, está el amor.

47

14

Sé que el amor
no existe
y sé también
que te amo.

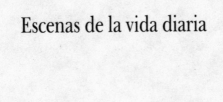

Escenas de la vida diaria

Propósito

No menciones el amor: bien sabes que sería profanarlo.
Déjalo ser en silencio, para que sientas la música
de los dedos que rozan una piel amada.
Pero cállalo. Dedica tu babosa palabra a la pena;
exhibe sin pudor la dureza de tu corazón y así confirmarás
    que esa llaga ya no duele;
ah, tu corazón, esa zona manida de ti, sabia, anestesiada, infeliz.
No, no menciones el amor; déjalo crecer en silencio,
aliméntalo con silencio, compártelo sin decirlo
y solamente tartajea tu palabra para secretar tu viscoso veneno,
la amarga poción de tu cautela.

Poema

Este corazón seco, incapaz de otro amor, agotado y solo,
este corazón de precisa prepotencia,
este corazón que ya no llega a la mirada,
este corazón cancelado y cambiado por una especie de helada
    ternura;
planeó mis iras, proyectó cada aspecto de mis entusiasmos.
Queda el rescoldo de viejas complicidades y el placer de la
    tarde solitaria
mientras la lluvia se repite:
es cómica la futilidad de toda agonía;
estamos solos.
Este corazón sin sed, este ciego corazón no distingue ya entre
    el paraíso y el desierto.

Escenas de la vida diaria

En la familia no se habla del pasado; a veces, apenas, para
recordar a los muertos ya distantes.
Discutimos sobre pequeñas cosas del día, cosas efímeras,
y compartimos gustos elementales como los techos altos o el
sonido de la fuente
o la luz roja de la tarde sobre el ladrillo de la catedral
y hablamos de los días de viento y del verde de las matas de
la casa;
el placer más familiar es la buena mesa
que disfrutamos hablando bien de la comida
y sonriéndonos con afecto y respeto y lejanía:
así se ama la gente civilizada,
sin demasiadas efusiones, con discreción, respetando el mundo
ajeno:
las utopías políticas de mi padre, sus sueños de justicia,
las libretas de cuentas de mi madre, el boletín de la bolsa,

la dosis de angustia que ella considera deber de toda madre
   piadosa,
los paseos de sábado y domingo con su tropa de hermanas;
los silencios de mi abuela, los momentos en que le da vueltas
   el mundo,
sus dulces de diabética, sus juegos de cartas, los locos y atinados
   colores de las colchas de retazos que construye
y mis libros y mis versos y mis viajes lejos de esta familia que
   amo sin saber nada de ella.

Album de fotos

Tánger, enero 14 de 1977.
Germán, montado en un camello,
conserva en la foto un hálito
que ya le arrebataron los gusanos.
Ahora él es algo muy hermoso que no existe,
que perdí;
acaso sea el fantasma que me crispa,
el ángel borracho de mis pesadillas escogidas;
también, carajo, un millón antiguo de castillos en el aire.
Tánger, enero 14 de 1977;
la insomne acumulación de noches
no pasa sobre el rostro de la foto;
ahora esto no es más que parte de mi nada:
mi podrido inexistente amigo,
mi suicidada víscera, mi elaborada desmemoria.
Tánger, enero 14 de 1977.
El tiempo detenido, Germán sonriendo

en una foto cada vez más amarilla
y ahora quiero matarlo definitivamente en estos versos
una semana después de que se tomó no sé cuántos seconales;
la literatura es una lepra:
no me contará cuáles son las delicias secretas de una crisis,
no le diré hasta dónde es una virtud la confusión.
Stop. Corten.

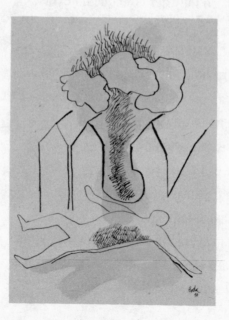

Testimonio acerca del hermano

Mi hermano tiene la línea de la vida corta y marcada
    intensamente,
    una señal profunda, como si una estrella de fuego le
hubiera horadado la mano y el rumbo.
Mi hermano sabe decir que no con la dureza y la suavidad de
    los hombres vigorosos.
Mi hermano le ha enseñado a su cuerpo la alucinación y el
    éxtasis,
ha cantado y reído, mi hermano ha vivido siempre como un
    sabio,
pisando el límite exacto de la demencia, tocando su borde
    alucinado,
en la fiebre del hongo o el alcohol, en el delirio del amor o
    de la orgía.
Pero siempre mi hermano ha sido fuerte y sabio, con la sabi-
    duría de quien sabe el límite de su destrucción
y con la sabiduría de quien se conserva intacto,

mi hermano juega con el tiempo, yuxtapone colores,
mi hermoso quinto hermano me enseña con su historia el
    fondo transparente de su calma
y me extiende la misma mano que quemó todas sus naves,
jugándose el todo por el todo siempre,
y siempre incólume
como quien sabe el final y no le duele.
Mi hermano, el sabio transgresor, regresándome a la ebriedad
    y al incesto,
el furiosamente libre, el desatado de toda obligación que no
    sea su instinto.
Mi quinto hermano es duro y seco con la gente, intolerante
    como yo,
pero mucho más recio, como quien está acostumbrado a guar-
    dar su territorio de invasiones.
Mi hermano regala una cálida ternura a quienes ama,
y entonces es locuaz y regocijante y más hermoso.
Mi hermano habla poco
y en ciertos momentos de lucidez alcohólica me dijo que él
    nunca moriría, que algún día se irá,
que a lo mejor desaparezca,
pero que siempre estaremos juntos, de algún modo,
como siempre.
Debimos conocernos cuatro años antes, también me dijo mi
    hermano en esa noche,
pero yo creo que todo tiene su día, su destiempo,
su oscura constelación de alborozado abrazo.

Desde muy joven, sabiendo lo que hacía, mi quinto hermano
    quemó todas sus naves,
y abrió los ojos y descubrió su hermoso cuerpo
y supo también que la belleza es la sabiduría del cuerpo,
y siempre estuvo atento, creciendo hacia adentro en la afie-
    brada vigilia.
Mi hermano fabrica conmigo fantasías de 17 pisos, con risas
    y palabras,
mi hermano hace música y dice disparates y le gusta echar
    mentiras que no le hacen daño a nadie,
y le fascinan los perfumes y hacer ejercicio y quemarse bajo
    el sol
y le gusta estar solo, organizando los oficios diarios.
Mi quinto hermano es fuerte y sabio
y ambos sabemos que nunca nosotros, solitarios, dejaremos de
    estar juntos.
Falta también aquí el sabor amargo que vela tras la sombra
    de mi quinto hermano,
la pesadilla y el descenso a los infiernos:
él siempre se jugó el todo por el todo
y desaparecerá en la plenitud,
cuando el agrio fantasma que lo sigue sin tocarlo decida por él,
y caiga,
y con él caiga lo que quede de mí,
si entonces algo queda.

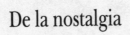

De la nostalgia

De la nostalgia, 1

Recuerdo solamente que he olvidado el acento de las más
amadas voces,
y que perdí para siempre el olor de las frutas de la infancia,
el sabor exacto del durazno,
el aleteo del aire frío entre los pinos,
el entusiasmo al descubrir una nuez que ha caído del nogal.
Sortilegios de otro día, que ahora son apenas letanía incolora,
vana convocatoria que no me trae el asombro de ver un colibrí
entre mi cuarto, como muchas madrugadas de mi infancia.
¿Cómo recuperar ciertas caricias y los más esenciales abrazos?
¿Cómo revivir la más cierta penumbra, iluminada apenas con
la luz de los Beatles,
y cómo hacer que llueva la misma lluvia que veía caer a los
trece años?
¿Cómo tornar al éxtasis de sol, a la luz ebria de mis siete años,
al sabor maduro de la mora,

a todo aquel territorio desconocido por la muerte,
a esa palpitante luz de la pureza,
a todo esto que soy yo y que ya no es mío?

De la nostalgia, 2

Son las dos de la tarde
y el sol hierve transparente a 30 grados.
    A esta hora exacta era el encuentro:
fumábamos la pipa de la paz,
asistíamos a la eucaristía de las frutas frescas
y reíamos felices en nuestra apacible charla.
A esta hora, bajo este mismo solitario sol,
nos ayudábamos a vivir.
Y ahora, en esta hora de sopor,
es también su recuerdo
una de las cosas luminosas
que me mantienen vivo.

De la nostalgia, 3

Diluir la memoria en una especie de estupor anhelante,
picaflor sin urgencias que enumera los lugares más
tibios,
alelada memoria,
la muy frío espejo del calor de otro entonces,
memoria que pregunta cuánta materia de mi cuerpo queda
de aquellos cuerpos míos que vivieron cada alucinación y cada
     asombro, cada cosa que hoy es nada,
y aún menos que nada
si es palabra.

De la nostalgia, 4

Siempre desprevenido y siempre alerta,
con luz apenas para mostrarte las tinieblas,
pendiente y distraído, esperas los instantes que te de-
vuelva el tiempo:
estás con una mujer, en un lugar que divisas claramente, dentro
de un año, dentro de dos, dentro de cinco,
y algo te sabe a un vino seco de jerez;
vas por la calle de una ciudad lejana
y un paisaje preciso te devuelve quince años
al descubrimiento de la nieve en el invierno del 61;
pasas por otro instante transparente, todo es allí de pétalo y
cristal, de mineral y teca.
Sucesión de fulgores, ¿qué orden tiene el tiempo
en este vericueto que te dictas
para negarte ahora?
Para decir que es nada lo que vas recordando,
con las palabras matas la parte de tu vida
que tú no quieres que contigo muera.

De la nostalgia, 5

Alelado bajo el sol, sobre la tapia,
soy un niño de cinco años narcotizado por la luz,
suspendido fuera del tiempo,
del tiempo que ahora es cosa ajena, intermitencia del paisaje,
sustancia del lejano horizonte de montañas azules.
Descubro un éxtasis perfecto, matutino,
hago parte del aire, soy brisa inaugural, soy ala y vuelo,
dejo de ser yo mismo felizmente fundido con la luz,
nazco y regreso.

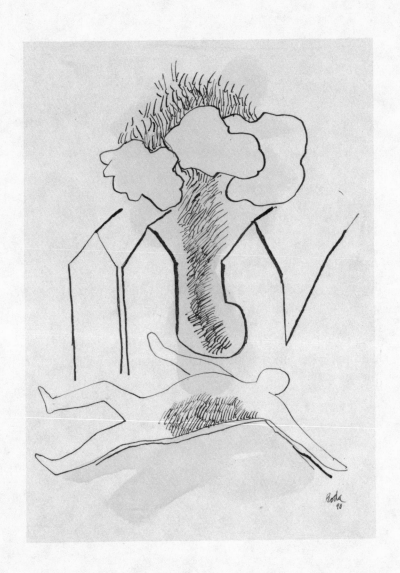

De la nostalgia, 6

Es distinto este decir que aquel hechizo,
me repito enredado en la guerra de encontrar las palabras.
Ayer iluminación, hoy trampa, evasivo poema,
rescoldo apenas del vuelo del amor o el asombro,
huella penosa de las noches felices,
juego el poema de la luna conmigo, en la noche de ahora.
Está además el vano consuelo de mi desmemoria: que conozco
    la dicha.
Y está también la certeza más sabia y más inútil: que hay
    alguien dentro de mí perdido,
que envejezco.

De la nostalgia, 7

Ah, los mudos retratos
sin aroma y sin aire,
construidos con el color exacto que fue siempre el color
del pretérito,
agridulce aparición de nombres olvidados,
de fechas ya amarillas,
de una luna más joven,
fotos mentirosas, de celebraciones vacuas,
que no importan.
Nunca hubo fotos de los instantes claves,
del momento justo del amor,
del preciso paisaje de las obsesiones.
No tengo un retrato de mi abuelo mientras tejía el fique
hablándome con una voz anterior a sí mismo.
Ni existe foto de las fachadas de una calle que no he vuelto a
        ver nunca,
que a veces creo que solamente la he soñado.

Ah, los retratos,
construidos con materia de otro tiempo,
documentos de un olvido distinto y más certero.

De la nostalgia, 8

Hablo de las seis de la tarde con el cielo de un azul absoluto.
Hablo de recibir la madrugada montado en un caballo,
o en una carretera rumbo al mar.
Son instantes precisos, limpios de tiempo y sombra,
destellos del origen, blancura y fiesta.
Solamente si la música es silencio hay aquí música,
solamente si la música es el sonido del agua liminar.
Hablo de caminar a solas por el campo cercano a Santa Rosa,
del encuentro al azar con un amigo en una ciudad lejana.
Digo lo que me dicta mi corazón sereno, la parte de mi alma
dispuesta todavía al amor,
la del abrazo cálido, entrañable,
la parte que sobrevive esperando vencer a mi demonio.

De la nostalgia, 9

Vana memoria que no puede traerte desde lejos,
que no te vuelve carne, risa gentil o canto.
Vana memoria mía incapaz de abrazar lo más mío,
incapaz de acariciar tu piel distante,
vana y obsesiva memoria que solamente alcanza a repetirme
   por quién vivo,
que respiro por este amor invulnerable y sin rutinas.
También ausente eres mi presencia más calida,
mi más pura nostalgia.

De la nostalgia, 10

En esta hora sin sol y sin presente,
lejos de lo mejor de mí,
éste sería el mejor momento para un viaje, un paseo por
dos o tres ciudades.
Sin visitar lugares, solamente para ver durante tres noches y
tres días a cada uno,
solamente para oírlos y caminar junto con ellos,
solamente para estar con mis hermanos, todos ellos muy lejos,
llegándome impuntualmente sin piel, por teléfono o en carta.
Ay, mis hermanos,
tan necesarios como escuchar un canto,
tan oportunos como un helado a las tres de la mañana en
primavera,
tan luminosos como andar por la calle con globos de colores,
tan saludables como hacer ejercicio físico, como escaparse a
cine por la tarde.
Ay, mis hermanos,

los que sé que me extrañan y me esperan.
Ay, mis bellos hermanos,
que hacen que no esté solo en este lugar que habito solitario.

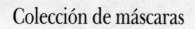

Colección de máscaras

Donde Scott Fitzgerald habla
de la importancia de la música

Mucho tiempo después,
cuando el cáncer de la desesperación,
cuando la gradual trama de la destrucción nos fue
  marcando,
nos echábamos la mentira de la música:
yo ya no tenía ningún lenguaje común con ninguno de ellos,
éramos islas flotantes separadas por un agrio perfume
que nos dañaba a cada uno en distinta forma;
habíamos crecido juntos imaginando un futuro
que cada día fuimos aplazando más y más
hasta relegarlo a un olvido amargo que nos confirió cierta
  rabia con la vida.
No sé si a ustedes les agrada el tema del fracaso,
pero aquí se trata de eso;
que un día lejano perdí la fe en encontrar alguna certeza
y esto no me hace llorar ni siquiera cuando estoy borracho;

que ahora me mantiene vivo cierta curiosidad de ver cómo
    me pudro;
a ratos,
luego del encuentro con la olvidada muchacha inolvidable,
me otorgo leves esperanzas de salvar el alma
pero todo pasa como un dolor de muelas:
hubo días en que no necesitábamos de la música
y en una rabiosa adolescencia fuimos capaces de amar;
pero tiempo después
ya cada uno era el exclusivo dueño de su propia miseria
y los huecos de silencio los llenábamos
mintiéndonos canciones que ahogaban cualquier posible pala-
    bra.

Felisberto: tiempo oscuro

Fue aquél un tiempo oscuro, con el color de la piel amo-
ratada,
días de cuero curtido, días de sol afuera en el mundo
de todos los demás.
El sufría
y la dicha era imposible en aquel reino de un helado miedo
interminable.
Se sentía cobarde, pero necesitó mucho valor, sin saberlo, para
sobrevivir entonces,
un coraje ciego que actuaba por él,
un frío coraje que por las noches, a solas, le arrancaba lágrimas
rabiosas.
Aprendió en esos días que daba lo mismo perder o ganar,
que importaba solamente saber con claridad su horror,
poder oír siempre esa secreta voz de alerta,
mantener viva la llama de su signo: la música es la única cosa
consistente.
Era el tiempo del desdén y del pequeño sufrimiento diario.

Era el humillado, el gris, el triste.

En aquellos días de buen comportamiento y mala conducta,
él usaba los preceptos como vestidos de otra talla
y constantemente pecaba de pensamiento y de deseo
y una mancha negra le oprimía las costillas y le apretaba la
garganta:

era la amenaza del infierno, el garfio de la culpa, era saber
que nunca volvería el estado de gracia,
y, ah, la única dicha de estar solo,
encerrado en lugares oscuros, sobreponiéndole una noche pre-
caria a los días de propiedad ajena.

En aquellos años (hoy los recuerda con cierta ira y el asombro
de haber sobrevivido),
en aquellos años sin ternura, en aquellos años sin sentirse
amado,
en aquel frío entonces de santidad y mentira,
él esperaba sin llanto y soñaba con luminosos lugares distantes,
con jardines, con calor animal y sol y soledad,
soledad siempre, sin desolación soñaba.

En aquellos días él caminaba por las calles sin una canción que
fuera suya,
el sin amor, el seco, el muy abandonado,
y él pervivía intrigado por la curiosidad del día siguiente;
en esos días aprendió a sonreír para sus adentros, una
sonrisa agridulce y secreta.

Entonces el mundo tenía púas y él no tenía conciencia de su
cuerpo sin piso, ese lujoso vacío de nervios y de carne:

fue aquél un tiempo de escalofríos y aún no despertaba el
fuego de su adentro:
él vivía los días vencido por un rescoldo de esperanza, animado
por la desdicha él esperaba su mañana,
sabiendo como se saben estas cosas, con las vísceras, su verdad
más inútil:
estaba tan lastimado que ya no sería feliz nunca,
que acaso su noche lo marcaba apenas para una fugaz ebriedad
del mundo
o para el hábito del desencanto.
En aquellos días él no esperaba nada y esto lo libraba de toda
decepción,
en aquellos días de ojos húmedos y labios mordidos
él tenía toda la ternura de su corazón dispuesta,
pero el sufrimiento, la sustancia de esos años,
convirtió su ternura en una especie de indolencia;
ah, su corazón, ese cándido reloj del desatino.
En aquel tiempo él tenía héroes remotos, indescifrables intui-
ciones,
eran días sin codicia y él construía la casa del alma en un
desierto.
En aquellos días él se comportaba muy juiciosamente
y manipulaba con sigilo su locura: todo podía ser un juego,
él lo sabía,
todo podía ser una broma pesada que acabaría al azar una
mañana.
Durante aquellos años sin ninguna intimidad o abrazo,

él supo lo esencial de este cuento y esto nunca le sirvió para
    nada.
En aquellos días la radio sonaba delante del ruido de la lluvia
    y lo demás era todo silencio,
absoluto silencio, y él permanecía casi siempre quieto, con los
    ojos abiertos, sin pensar,
muerto de miedo.

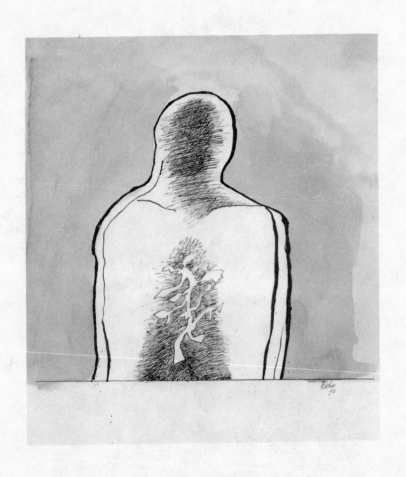

Job otra vez

Hábito o virtud, monótona paciencia que aprendo con
   dolor,
   día por día, lentamente.
Vicio o costumbre que se adquiere contras las ansias,
paciencia que me elude con el ruido,
agridulce paciencia que no necesito cuando llega la dicha,
o cuando vibro con el ritmo del tiempo
y la serenidad consiste en vivir como quien sabe inútil todo
   forcejeo,
que todo llega si está escrito que llegue,
que no hemos escogido ser luz o tiniebla.
Diosa paciencia que gobierna los trenes retrasados
y prescribe los rigores del nubarrón a los bañistas,
virtud profesional del chofer y el relojero,
virtud amarga para malos tiempos,
seca virtud sin lírica y sin ángel,
invisible rectora de las leyes del turno,

paciencia que aprecio sin aprenderla nunca,
paciencia que aparece en el poema para recordarme que ya
    no soy tan joven,
que esta vida se acaba.
Virtud de sangre fría, flor de hielo,
agria destilación del alma para acercarnos a la muerte.

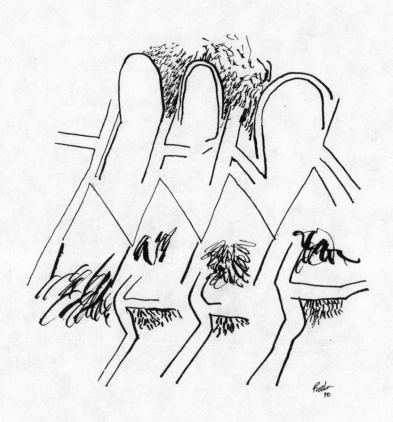

Salinger habla

Sé las tentaciones que me acechan
y tengo la inútil certidumbre de mis negaciones y mis
    vicios más secretos:
solamente lo hondó de mi alma conoce mis pasos
y ella es la única que saborea el calor de mi penumbra.
Soy un hombre que está solo;
como todos ustedes, estoy solo, muchachos,
estoy solo con mi manera personal y exclusiva de estar solo,
caminando las ansias, paseándome en la sala,
buscando reposo en movimiento,
diciendo que tampoco y que no,
mirando oblicuamente el mundo,
seguro de mi tiniebla y del resplandor ajeno,
aniquilado por la flor roja de la lucidez absoluta, rosa de muerte
    y regocijo,
flor que nunca se convierte en dicha o en palabras,
cola de marrano de mi especie.

Abismo y cifra,
palabra que no avanza y que golpea,
poema soy, palabra vacua, puñetazo invisible,
humo delicuescente soy,
patada, abrazo y candidez,
claroscuro del éxtasis y la cavilación,
esto soy, llama que no ilumina y quema, latigazo de un fuego
    sin claridad ni permanencia,
alguien que desprecia el recuerdo
y desea dejar de ser pronombre y sumergirse en algo más
    hondo que el olvido,
el vacío sustancial,
este profundo y silencioso golpeteo.

Platón borracho

He habitado la más absoluta claridad:
la luz es la precisa para alumbrar el perfil exacto de las cosas,
la sombra forma parte de la luz, ayuda a ver:
este árbol corresponde al arquetipo que recuerdo,
todo se ajusta con la idea,
este pétalo es el pétalo eterno
y será mañana el eterno pétalo marchito;
por un instante tengo lucidez absoluta, pero ya no soy ese que
    escribió la primera palabra de este verso;
la charada está incompleta y no logro descifrar la clave del
    embrollo;
sé lo más fácil:
que este caballo que galopa por la playa, majestuosamente ha
    galopado desde siempre en otra playa,
sé que el amor es completarse,

sé mi desdicha y mi ignorancia, que el tiempo nos contiene y
    no lo vemos,
y sé que en otro mundo hay otro, que reflejo, más borracho
    que yo, más ignorante y desdichado.

Miguel Angel Osorio

Entre mi corazón la penumbra de una calle,
una reliquia, un aguijón, el eco de una voz.
Entre mi corazón —entre mi herida—
una caricia, el murmullo del amor.
Entre mi corazón —el desdeñoso—
la luna, un retrato, uno o dos nombres,
el desamor también en mi cloaca.
En mi corazón la raíz del insomnio y de la ira.
Entre mi corazón, hecho de fiebre,
mi soledad y mis hermanos.
Entre mi corazón la pesadilla y el infierno,
allí la leve dicha y la esperanza.
Entre mi corazón alucinado, insecto de la noche,
la ebriedad del instante,
la revelación y la pureza,
el abatimiento en mi más roja entraña,
el estupor y el entusiamo en mi silencioso corazón.

Entre esta oscura claridad, entre el vértigo,
todo mi pavor, toda mi pena,
todo el desprecio entero y el amor,
toda la embriaguez y la locura.
Nunca ninguna fe en mi corazón ansioso.
¡Ay, mi delirante corazón,
ay mi corazón sin asidero!

Heráclito sin agua

Ningún perfume permanece entre esta brisa;
ni siquiera la fiesta de la muerte; apenas la pasión efí-
    mera,
tan sólo la luz de los relámpagos y un viaje interminable sin
    descanso;
no conozco un paisaje que perdure ni sé de noche alguna que
    se haya repetido
Con los pies sobre la tierra caminando,
y sin memoria,
y sin nada qué contar y sin semillas,
persigo la sombra de la luna en la montaña, esa débil sombra
    blanca,
un cuerpo a contraluz en una plaza,
el aroma del azufre o del incienso,
pero ningún perfume permanece entre esta brisa
y algo horada los ojos para que no recuerden.
Ya no tendré una casa, apenas estaciones, oscuros soles,

amores de tres noches y un amor que me tiene caminando,
no tendré penumbra propia,
no podré entregar mis convulsiones, ni mis dichas y desvelos
   a los dioses tutelares,
ni tendré reposo nunca arrastrando mi noria.

Este libro fue impreso y encuadernado
en noviembre de 1997 en los talleres
de Panamericana Formas e Impresos S.A.,
quien sólo actúa como impresor